1부

Vocabulary

어휘와 표현

01 어휘와 표현	VOCABULARY	안녕하세요? 저는 안나예요
한국어	ENGLISH	예문
나라	country	어느 나라 사람이에요?
직업	job	유진 씨는 직업이 뭐예요?
한국	Korea	수지 씨는 한국 사람이에요?
사람	person	한국 사람이에요?
캐나다	Canada	캐나다 사람이에요.
베트남	Vietnam	저는 베트남 사람이에요.
미국	U.S.A.	유진 씨는 미국 사람이에요.
프랑스	France	프랑스 사람이에요?
태국	Thailand	저는 태국 사람이에요.
인도네시아	Indonesia	인도네시아 사람이에요.
중국	China	웨이 씨는 중국 사람이에요?
일본	Japan	마리 씨는 일본 사람이에요.
러시아	Russia	러시아 사람이에요.
케냐	Kenya	저는 케냐 사람이에요.
회사원	office worker	마리 씨는 회사원이에요.
대학생	college student	유진 씨는 대학생이에요?
의사	doctor	의사예요.
경찰	police officer	경찰이에요?
선생님	teacher	저는 선생님이에요.
가수	singer	제 친구는 가수예요.
요리사	cook	저는 요리사예요.

네	yes	가: 의사예요? / 나: 네. 저는 의사예요.
아니요	no	가: 의사예요? / 나: 아니요. 저는 경찰이에요.
나	I	나는 학생이에요.
모자	hat	모자예요.
책	book	책이에요.
공책	notebook	공책이에요?
한복	Hanbok	한복이에요?
커피	coffee	친구하고 커피를 마셔요.
언니	older sister	언니예요.
동생	younger brother / sister	제 동생은 요리사예요.
누구	who	누구예요?
친구	friend	안나 씨 친구예요?
씨	Mr. / Ms. / Miss.	유진 씨 동생이에요.
제	my	이 사람은 제 친구예요.
아버지	father	아버지는 회사원이에요.
어머니	mother	어머니는 의사예요.
이름	name	이름이 뭐예요?
학생	student	학생이에요.
자기소개	self-introduction	자기소개를 해요.

02 어휘와 표현	VOCABULARY	전화번호가 뭐예요?
한국어	ENGLISH	예문
한자어	Sino-Korean word	일은 한자어 수예요.
수	number	팔은 한자어 수예요.
영 / 공	zero	제 전화번호는 공일공 일이일삼 칠오공삼이에요.
일	one	카페는 일 층이에요.
이	two	식당은 이 층이에요.
삼	three	영화관은 삼 층이에요.
사	four	노래방은 사 층이에요.
오	five	PC방은 오 층이에요.
육	six	카페는 육 층이에요.
칠	seven	식당은 칠 층이에요.
팔	eight	영화관은 팔 층이에요.
구	nine	노래방은 구 층이에요.
십	ten	PC방은 십 층이에요.
십일	eleven	십일 쪽이에요.
십이	twelve	십이 쪽이에요.
십삼	thirteen	십삼 쪽이에요.
십사	fourteen	십사 쪽이에요.
십오	fifteen	십오 쪽이에요.
십육	sixteen	십육 쪽이에요.
십칠	seventeen	십칠 쪽이에요.
십팔	eighteen	십팔 쪽이에요.

십구	nineteen	십구 쪽이에요.
이십	twenty	이십 번 버스예요.
삼십	thirty	삼십 번 버스예요.
사십	forty	사십 번 버스예요.
오십	fifty	오십 번 버스예요.
육십	sixty	육십 번 버스예요.
칠십	seventy	칠십 번 버스예요.
팔십	eighty	팔십 번 버스예요.
구십	ninety	구십 번 버스예요.
백	one hundred	백 번 버스예요.
층	floor	카페는 3층이에요.
월	month	7월이에요.
쪽	page	몇 쪽이에요?
번	number	8번 버스예요.
호	number	203호예요.
원	won; Korean currency	백 원이에요.
몇	which	몇 월이에요?
얼마	how much	우유는 얼마예요?
전화번호	phone number	전화번호가 뭐예요?
카페	cafe	카페가 어디예요?
식당	restaurant	식당이 몇 층이에요?
영화관	movie theater	영화관은 2층이에요.
노래방	karaoke	노래방이에요.

PC방	internet cafe	PC방은 4층이에요.
지하	basement	노래방은 지하 1층이에요.
형	older brother	형이에요.
교실	classroom	교실이 203호예요?
물	water	물이에요?
주스	juice	주스예요.
컴퓨터	computer	컴퓨터예요?
텔레비전	television	텔레비전이에요.
남자	boy	마리 씨 남자 친구예요?
의자	chair	의자예요?
맞다	right	맞아요?
두	two	교실에 두 사람이 있어요.
무슨	what	무슨 이야기를 해요?
세종학당	King Sejong Institute	세종학당 전화번호가 몇 번이에요?
이메일	e-mail	이메일 주소가 뭐예요?
주소	address	이메일 주소가 뭐예요?

한국어	ENGLISH	예문
물건	thing	물건이 많아요.
책상	desk	책상이에요.
가방	bag	가방이에요.
필통	pencil case	리사 씨 필통이에요.
시계	clock	유진 씨 시계예요.
앞	in front of	유진 씨가 칠판 앞에 있어요.
뒤	behind	가방이 의자 뒤에 있어요?
위	on top of	책상 위에 책이 있어요.
아래/밑	under	필통이 칠판 아래/밑에 있어요.
옆	next to	카페가 식당 옆에 있어요.
오른쪽	right	마리 씨는 주노 씨 오른쪽에 있어요.
왼쪽	left	왼쪽 사람이 제 동생이에요.
사이	between	제 가방이 의자 사이에 있어요.
집	house	수지 씨가 집에 있어요?
안	inside	필통이 가방 안에 있어요.
밖	outside	안나 씨는 집 밖에 있어요.
어디	where	가방이 어디에 있어요?
핸드폰	cell phone	저 핸드폰은 주노 씨 핸드폰이에요?
학교	school	저는 학교에 가요.
칠판	blackboard	칠판이 교실에 있어요?
피아노	piano	피아노가 교실에 없어요.

그럼	then	그럼 누구 가방이에요?
펜	pen	제 펜은 필통 속에 있어요.
우산	umbrella	가방 안에 우산이 있어요.
방	room	책상이 방 안에 있어요?
무엇	what	오늘 무엇을 사요?
침대	bed	침대 위에 책이 있어요.

04 어휘와 표현	VOCABULARY	한국어를 공부해요
한국어	ENGLISH	예문
먹다	eat	불고기를 먹어요.
읽다	read	책을 읽어요.
보다	see	오늘 영화를 봐요.
마시다	drink	우유를 마셔요.
듣다	listen	한국 음악을 들어요.
만나다	meet	오늘 친구를 만나요.
자다	sleep	재민 씨가 자요.
일하다	work	마리 씨가 일해요.
요리하다	cook	유진 씨는 요리해요.
공부하다	study	안나 씨는 공부해요.
영화	movie	저는 한국 영화를 좋아해요.
한국어	Korean language	유진 씨는 한국어를 공부해요.
오늘	today	저는 오늘 친구를 만나요.
불고기	bulgogi	불고기가 맛있어요?
정말	really	한국 영화를 정말 좋아해요.
맛있다	tasty	김치가 맛있어요.
지금	now	지금 음악을 들어요?
피자	pizza	피자가 맛있어요.
좋아하다	like	한국 음악을 좋아해요?
꽃	flower	마리 씨는 꽃을 좋아해요?
고양이	cat	제 친구는 고양이를 좋아해요.

음악	music	재민 씨는 음악을 들어요.
게임	game	유진 씨는 게임을 좋아해요?
쇼핑	shopping	오늘은 쇼핑을 해요.
김치	kimchi	김치예요.
옷	clothes	옷을 사요.
사다	buy	주노 씨가 옷을 사요.
공원	park	유진 씨가 공원에 있어요.
운동하다	exercise	수지 씨는 운동해요.

한국어	ENGLISH	빵하고 우유를 사요
	VOCABULARY	예문
장소	place	장소가 어디예요?
식품	food	마트에서 식품을 사요.
회사	company	재민 씨가 회사에 가요.
마트	mart	유진 씨는 마트에 있어요.
빵	bread	오늘 빵을 사요.
라면	ramyeon	라면을 먹어요.
과일	fruit	과일이 마트에 있어요.
차	tea	주노 씨가 차를 마셔요.
우유	milk	마트에서 우유를 사요.
과자	snack	과자를 사요.
아이스크림	ice cream	아이스크림을 먹어요.
여기	here	여기가 세종학당이에요.
백화점	department store	백화점이 어디예요?
구두	shoes	가방하고 구두를 사요.
누가	who	교실에 누가 있어요?
사과	apple	사과예요.
포도	grape	사과하고 포도를 사요.
케이크	cake	케이크하고 빵을 먹어요.
김밥	gimbap	저는 김밥을 좋아해요.
신발	shoes	수지 씨는 신발하고 옷을 사요.
영어	English	영어하고 한국어를 배워요.
화장품	cosmetics	유진 씨는 화장품하고 가방을 사요.

06 어휘와 표현	VOCABULARY	사과 다섯 개 주세요
한국어	ENGLISH	예문
고유어	native Korean word	하나는 고유어 수예요.
하나/한	one	사과 하나 주세요.
둘/두	two	동생이 두 명이에요.
셋/세	three	동생은 세 살이에요.
넷/네	four	동생은 네 살이에요.
다섯	five	동생은 다섯 살이에요.
여섯	six	동생은 여섯 살이에요.
일곱	seven	동생은 일곱 살이에요.
여덟	eight	동생은 여덟 살이에요.
아홉	nine	동생은 아홉 살이에요.
열	ten	동생은 열 살이에요.
열하나/열한	eleven	동생은 열한 살이에요.
열둘/열두	twelve	동생은 열두 살이에요.
스물/스무	twenty	형은 스무 살이에요.
서른	thirty	누나는 서른 살이에요.
마흔	forty	언니는 마흔 살이에요.
쉰	fifty	사과를 쉰 개 사요.
예순	sixty	사과를 예순 개 사요.
일흔	seventy	사과를 일흔 개 사요.
여든	eighty	사과를 여든 개 사요.
아흔	ninety	사과를 아흔 개 사요.

백	hundred	사과를 백 개 사요.
개	gae; a word used to count the number of things	우산을 한 개 사요.
공	ball	공이 몇 개 있어요?
지우개	eraser	지우개가 없어요.
계란	egg	계란이 아홉 개 있어요.
명	myeong; a word used to count the number of persons	학생이 몇 명 있어요?
마리	mari; a word used to count the number of animals, fish, bugs, etc.	고양이가 세 마리 있어요.
잔	cup	주스가 몇 잔 있어요?
병	bottle	물이 몇 병 있어요?
권	book	책이 몇 권 있어요?
장	piece, sheet	카드가 다섯 장 있어요.
살	years old	제 동생은 열여덟 살이에요.
창문	window	창문이 두 개 있어요.
앉다	sit	여기 앉으세요.
고맙다	thank	고마워요.
주다	give	라면 세 개 주세요.
쓰다	write	쓰세요.
대답하다	answer	대답하세요.
펴다	open	책을 펴세요.
내일	tomorrow	저는 내일 일찍 학교에 가요.

일찍	early	내일 일찍 오세요.
오다	come	친구가 집에 와요.
버스	bus	8번 버스를 타요.
타다	ride	친구하고 자전거를 타요.
가게	store	과일 가게에서 과일을 사요.
어서	with pleasure; please (used to welcome someone)	어서 오세요.
모두	all	모두 얼마예요?
바나나	banana	바나나를 좋아해요.
편의점	convenience store	저는 편의점에 가요.
치약	toothpaste	치약 한 개 주세요.
칫솔	toothbrush	칫솔이 없어요.
그리고	and	빵 한 개 주세요. 그리고 우유 두 개 주세요.

07 어휘와 표현	VOCABULARY	일곱 시에 시작해요
한국어	ENGLISH	예문
날짜	date	날짜가 언제예요?
요일	day of the week	일요일에 친구를 만나요.
달력	calendar	달력을 보세요.
일월	January	일월이에요.
이월	February	이월이에요.
삼월	March	삼월이에요.
사월	April	사월이에요.
오월	May	오월이에요.
유월	June	유월이에요.
칠월	July	칠월이에요.
팔월	August	팔월이에요.
구월	September	구월이에요.
시월	October	시월이에요.
십일월	November	십일월이에요.
십이월	December	십이월이에요.
일요일	Sunday	오늘은 일요일이에요.
월요일	Monday	오늘은 월요일이에요.
화요일	Tuesday	오늘은 화요일이에요.
수요일	Wednesday	오늘은 수요일이에요.
목요일	Thursday	오늘은 목요일이에요.
금요일	Friday	오늘은 금요일이에요.

07

토요일	Saturday	오늘은 토요일이에요.
일일	1st day of the month	오늘은 일월 일일이에요.
이일	2nd day of the month	오늘은 일월 이일이에요.
삼일	3rd day of the month	오늘은 일월 삼일이에요.
사일	4th day of the month	오늘은 일월 사일이에요.
오일	5th day of the month	오늘은 일월 오일이에요.
육일	6th day of the month	오늘은 일월 육일이에요.
칠일	7th day of the month	오늘은 일월 칠일이에요.
팔일	8th day of the month	오늘은 일월 팔일이에요.
구일	9th day of the month	오늘은 일월 구일이에요.
십일	10th day of the month	오늘은 일월 십일이에요.
십일일	11th day of the month	오늘은 일월 십일일이에요.
십이일	12th day of the month	오늘은 일월 십이일이에요.
십삼일	13th day of the month	오늘은 일월 십삼일이에요.
십사일	14th day of the month	오늘은 일월 십사일이에요.
십오일	15th day of the month	오늘은 일월 십오일이에요.
십육일	16th day of the month	오늘은 일월 십육일이에요.
십칠일	17th day of the month	오늘은 일월 십칠일이에요.
십팔일	18th day of the month	오늘은 일월 십팔일이에요.
십구일	19th day of the month	오늘은 일월 십구일이에요.
이십일	20th day of the month	오늘은 일월 이십일이에요.
이십일일	21st day of the month	오늘은 일월 이십일일이에요.
이십이일	22nd day of the month	오늘은 일월 이십이일이에요.

이십삼일	23rd day of the month	오늘은 일월 이십삼일이에요.
이십사일	24th day of the month	오늘은 일월 이십사일이에요.
이십오일	25th day of the month	오늘은 일월 이십오일이에요.
이십육일	26th day of the month	오늘은 일월 이십육일이에요.
이십칠일	27th day of the month	오늘은 일월 이십칠일이에요.
이십팔일	28th day of the month	오늘은 일월 이십팔일이에요.
이십구일	29th day of the month	오늘은 일월 이십구일이에요.
삼십일	30th day of the month	오늘은 일월 삼십일이에요.
삼십일일	31st day of the month	오늘은 일월 삼십일일이에요.
생일	birthday	생일이 언제예요?
언제	when	언제 유진 씨를 만나요?
주말	weekend	주말에 만나요.
수업	class	한국어 수업이 있어요.
여행	travel	언제 여행을 가요?
며칠	what day	며칠에 사진을 찍어요?
사진	photo	사진을 찍으세요.
찍다	take	오늘 사진을 찍어요.
배우다	learn	언제 수영을 배워요?
도서관	library	도서관에 가요.
아르바이트	part-time job	목요일에 아르바이트를 해요.
수영	swimming	금요일에 수영을 배워요.
점심	lunch	언제 점심을 먹어요?
식사	meal	같이 식사를 해요.

회의	meeting	몇 시에 회의를 해요?
저녁	evening	저녁에 운동을 해요.
오후	afternoon	오늘 오후에 뭐 해요?
드라마	TV drama	드라마를 봐요.
시작하다	begin	수업은 몇 시에 시작해요?
아침	morning	아침 열 시에 아르바이트를 해요.
하루	day	주노 씨의 하루
다니다	commute, work for	주노 씨는 회사에 다녀요.
매일	every day	매일 일곱 시에 아침을 먹어요.
일어나다	get up	매일 여섯 시에 일어나요.
파티	party	친구 생일 파티가 있어요.
하고	with	동생하고 산책을 했어요.
밥	meal	같이 밥을 먹어요.
같이	together	언제 밥을 먹어요?

08 어휘와 표현	VOCABULARY	날씨가 더워요?
한국어	ENGLISH	예문
날씨	weather	날씨가 어때요?
계절	season	무슨 계절을 좋아해요?
맑다	clear	날씨가 맑아요.
흐리다	cloudy	날씨가 흐려요.
바람	wind	바람이 불어요.
불다	blow	바람이 불어요.
비	rain	비가 와요.
눈	snow	눈이 와요.
따뜻하다	warm	봄은 따뜻해요.
덥다	hot	날씨가 더워요.
시원하다	cool	바람이 시원해요.
쌀쌀하다	chilly	날씨가 쌀쌀해요.
춥다	cold	날씨가 추워요.
사계절	four seasons	한국은 사계절이 있어요.
봄	spring	저는 봄을 좋아해요.
여름	summer	여름은 더워요.
가을	fall	가을은 시원해요.
겨울	winter	겨울을 좋아해요.
이번	this	이번 금요일에 날씨가 어때요?
어떻다	how	이번 주말에 날씨가 어때요?
서울	Seoul	서울은 날씨가 좋아요?

좋다	good	날씨가 안 좋아요.
바쁘다	busy	오늘 바빠요?
딸기	strawberry	바나나하고 딸기를 사요.
좀	a little	좀 추워요.
무겁다	heavy	가방이 무거워요.
가볍다	light	가방이 가벼워요.
요즘	recently	요즘 날씨가 어때요?
쉽다	easy	공부가 쉬워요.
어렵다	difficult	책이 아주 어려워요.
그런데	but	김치가 맛있어요. 그런데 좀 매워요.
맵다	spicy	김치가 매워요.
아주	very	가방이 아주 무거워요.
고향	hometown	이번 주말에 고향에 가요.
부산	Busan	부산은 날씨가 더워요?
잘	well	지은 씨, 잘 지내요?
지내다	be	잘 지내요.
자주	often	요즘 비가 자주 와요.
거기	there	거기는 날씨가 어때요?
많이	a lot	바람이 많이 불어요.
도시	town	그 도시는 어느 나라에 있어요?
하노이	Hanoi	하노이는 아주 더워요.
시드니	Sydney	시드니는 어때요?
모스크바	Moscow	모스크바는 더워요.

자카르타	Jakarta	자카르타는 비가 오고 더워요.
제주도	Jeju-do	제 고향은 제주도예요.
바다	sea	바다에 가요.
한라산	Hallasan Mountain	한라산 단풍이 예뻐요.
단풍	autumn foliage	단풍이 아주 예뻐요.
예쁘다	pretty	꽃이 예뻐요.
그렇지만	however	많이 안 추워요. 그렇지만 바람이 많이 불어요.
아름답다	beautiful	제주도는 정말 아름다워요.

한국어	ENGLISH	예문
활동	activity	주말 활동
미용실	hair shop, beauty shop, hairdresser's	주말에 미용실에 가요.
놀이공원	amusement park	놀이공원에서 친구하고 놀았어요.
박물관	museum	박물관에서 구경해요.
수영장	swimming pool	수영장에서 수영해요.
산책하다	walk	공원에서 산책해요.
구경하다	look around	박물관을 구경해요.
자전거	bicycle	자전거를 타요.
청소하다	clean	집에서 청소해요.
어제	yesterday	어제 수영을 했어요?
쉬다	rest	집에서 쉬었어요.
만들다	make	친구하고 같이 김밥을 만들었어요.
재미있다	fun	아주 재미있었어요.
우리	our	친구가 우리 집에 놀러 왔어요.
놀다	play	친구하고 놀아요.
기분	mood	기분이 아주 좋았어요.

1A

10	어휘와표현	VOCABULARY	우리 같이 놀이공원에 갈까요?
한국어		**ENGLISH**	**예문**
약속		appointment, engagement	특별한 약속이 있어요.
시간		time	오늘 시간이 있어요?
특별하다		special	특별한 일이 없어요.
일		work, business, matter	특별한 일이 있어요.
다르다		other, different	다른 약속이 있어요.
콘서트		concert	콘서트를 봤어요.
축구		soccer	주말에 축구를 했어요.
경기		game	축구 경기를 봐요.
농구		basketball	친구하고 농구를 했어요.
음료수		beverage	마트에서 음료수를 샀어요.
등산		hiking	친구하고 등산을 갔어요.
하다		do	어제 친구하고 게임을 했어요.
반		class	반 친구하고 영화를 봤어요.
한강		Hangang River	한강공원에서 산책을 했어요.
음식		food	한국 음식을 먹고 싶어요.
운동화		sneakers	저는 운동화를 사고 싶어요.
방학		vacation, school break	방학에 어디에 가고 싶어요?
비빔밥		bibimbap	저는 비빔밥을 먹고 싶어요.

낚시	fishing	주말에 낚시를 하고 싶어요.
태권도	taekwondo	태권도를 배우고 싶어요.
다	all	밥 다 먹었어요?
걷다	walk	우리 밖에서 좀 걸을까요?
쇼핑몰	shopping mall	쇼핑몰에 가고 싶어요.
내용	content	약속 내용을 메모해 보세요.
메모	note	메모해 보세요.
주	week	이번 주 금요일에 만날까요?
다음	next	다음 주에 만나요.
케이팝(K-POP)	K-POP	우리 같이 케이팝(K-POP) 콘서트를 볼까요?

2부

Grammar

문법

이에요 / 예요

의미　MEANING

명사 뒤에 붙여서 사람이나 사물 등의 명사를 서술할 때 사용한다.

'이에요/예요' attaches to the end of a noun, such as people or things, describing the noun.

형태　FORM

명사에 받침이 있으면 '이에요', 받침이 없으면 '예요'를 쓴다.

'이에요' is used when a noun ends with a consonant, and '예요' is used when a noun ends with a vowel.

예문　EXAMPLE

- 학생**이에요**.
- 미국 사람**이에요**.
- 선생님**이에요**.
- 책**이에요**.
- 한복**이에요**.
- 의사**예요**.
- 친구**예요**.
- 커피**예요**.
- 김치**예요**.

활용　PRACTICE

가 : 회사원이에요?

나 : 네. 회사원이에요.

가 : 모자예요?

나 : 네. 모자예요.

은/는

의미 MEANING

명사 뒤에 붙어서 그 명사가 문장의 주제임을 나타낸다.

'은/는' attaches to the end of a noun, indicating that the noun is the topic of the sentence.

형태 FORM

명사에 받침이 있으면 '은', 받침이 없으면 '는'을 쓴다.

'은' is used when a noun ends with a consonant, and '는' is used when a noun ends with a vowel.

예문 EXAMPLE

- 이 사람은 일본 사람이에요.
- 이 사람은 마리 씨예요.
- 저 사람은 회사원이에요.
- 동생은 가수예요.
- 저는 한국 사람이에요.
- 저는 경찰이에요.
- 유진 씨는 제 친구예요.
- 웨이 씨는 요리사예요.

활용 PRACTICE

가 : 유진 씨 동생은 대학생이에요?
나 : 네. 제 동생은 대학생이에요.

가 : 아버지는 요리사예요?
나 : 네. 아버지는 요리사예요.

이 / 가

의미 MEANING

명사 뒤에 붙어서 그 명사가 문장의 주어임을 나타낸다.

'이/가' attaches to a noun, indicating that the noun is the subject of the sentence.

형태 FORM

명사에 받침이 있으면 '이', 받침이 없으면 '가'를 쓴다.

'이' is used when a noun ends with a consonant, and '가' is used when a noun ends with a vowel.

예문 EXAMPLE

- 주노 씨 동생**이** 누구예요?
- 노래방**이** 어디예요?
- 영화관**이** 어디예요?
- 식당**이** 어디예요?
- 교실**이** 203호예요?
- 안나 씨**가** 누구예요?
- 제**가** 안나예요.
- 마리 씨 친구**가** 누구예요?
- 요리사**가** 누구예요?
- 제**가** 요리사예요.

활용 PRACTICE

가 : 이름이 뭐예요?

나 : 마리예요.

가 : 전화번호가 뭐예요?

나 : 010-1213-7505예요.

이 / 가 아니에요

의미 MEANING

명사 뒤에 붙어서 그 명사를 부정함을 나타낸다.

'이/가 아니에요' attaches to a noun, indicating that the noun is negated.

형태 FORM

명사에 받침이 있으면 '이 아니에요', 받침이 없으면 '가 아니에요'를 쓴다.

'이 아니에요' is used when a noun ends with a consonant, and '가 아니에요' is used when a noun ends with a vowel.

예문 EXAMPLE

- 선생님**이 아니에요**.
- 8층**이 아니에요**.
- 학생**이 아니에요**. 회사원이에요.
- 물**이 아니에요**. 주스예요.
- 9121**이 아니에요**. 9122예요.
- 남자 친구**가 아니에요**.
- 컴퓨터**가 아니에요**.
- 친구**가 아니에요**. 언니예요.
- 요리사**가 아니에요**. 선생님이에요.
- 7565**가 아니에요**. 7505예요.

활용 PRACTICE

가 : 동생이에요?

나 : 아니요. 동생이 아니에요. 형이에요.

가 : 교실이 203호예요?

나 : 아니요. 203호가 아니에요. 204호예요.

이, 그, 저

의미   MEANING

명사 앞에서 사람이나 사물을
가리킬 때 사용한다. 말하는
사람에게 가까이 있는 것은 '이',
멀리 있는 것은 '저', 듣는 사람에게
가까이 있는 것은 '그'를 사용한다.

'이, 그, 저' comes before a noun to
point to people or things.
'이' is used when a person or
a thing is close to the speaker,
'저' when it is far from the speaker,
and '그' when it is close to
the listener.

예문   EXAMPLE

- **이** 시계는 누구 시계예요?
- **이** 시계는 유진 씨 시계예요.
- **이** 필통은 제 필통이에요.
- **그** 모자는 누구 모자예요?
- **그** 사람은 누구예요?
- **그** 사람은 마리 씨예요.
- **저** 가방은 누구 가방이에요?
- **저** 사람은 누구예요?
- **저** 책은 유진 씨 책이에요.

활용   PRACTICE

가 : 이 사람은 누구예요?

나 : 제 동생이에요.

가 : 저 핸드폰은 주노 씨 핸드폰이에요?

나 : 네. 주노 씨 핸드폰이에요.

에 있다, 없다

의미 MEANING

명사 뒤에 붙어서 사람이나 물건의
위치를 나타낸다.

'에 있다, 없다' attaches to the end
of a noun, indicating the location
of people or things.

형태 FORM

명사의 받침 유무와 상관없이
'에 있다, 없다'를 쓴다.

'에 있다, 없다' is used regardless of
whether a noun ends with
a consonant or not.

예문 EXAMPLE

- 칠판이 어디**에 있어요**?
- 칠판이 교실**에 있어요**.
- 컴퓨터가 책상 위**에 있어요**.
- 주노 씨가 칠판 앞**에 있어요**.
- 제 펜은 필통 안**에 있어요**.
- 피아노가 교실**에 없어요**.
- 가방이 교실**에 없어요**.
- 유진 씨가 집**에 없어요**.
- 제 방에 컴퓨터**가 없어요**.
- 제 우산은 의자 옆**에 없어요**.

활용 PRACTICE

가 : 책이 어디에 있어요?

나 : 책상 위에 있어요.

가 : 수지 씨가 집에 있어요?

나 : 아니요. 집에 없어요. 학교에 있어요.

-아요/어요

의미   MEANING

동사나 형용사 뒤에 붙어서
동작이나 상태를 나타낸다.

'-아요/어요' is combined with
a verb or an adjective,
describing an action or a state.

형태   FORM

동사나 형용사의 모음이 'ㅏ, ㅗ'면
'-아요', 그 외 모음이면 '-어요'를
쓴다. '하다'는 '해요'로 쓴다.

'-아요' is used when the final
vowel of a verb stem or
an adjective stem is 'ㅏ' or 'ㅗ,'
otherwise '-어요' is used.
'하다' is changed to '해요.'

예문   EXAMPLE

- 지금 무엇을 **해요**?
- 텔레비전을 **봐요**.
- 동생이 **자요**.
- 책을 읽**어요**.
- 음악을 들**어요**.
- 불고기를 먹**어요**.
- 커피를 마**셔요**.
- 요리**해요**.
- 한국어를 공부**해요**.
- 게임을 좋아**해요**.

활용   PRACTICE

가 : 주노 씨는 오늘 무엇을 해요?

나 : 오늘 친구를 만나요.

가 : 유진 씨, 불고기 맛있어요?

나 : 네. 정말 맛있어요.

을 / 를

의미 MEANING

명사 뒤에 붙여서 명사를 문장의 목적어로 만들 때 사용한다.

'을/를' attaches to the end of a noun, indicating that the noun is the object of the sentence.

예문 EXAMPLE

- 게임**을** 해요.
- 운동**을** 해요.
- 꽃**을** 좋아해요.
- 쇼핑**을** 해요.
- 음악**을** 들어요.
- 한국어**를** 공부해요.
- 영화**를** 봐요.
- 피자**를** 먹어요.
- 고양이**를** 좋아해요.
- 친구**를** 만나요.

형태 FORM

명사에 받침이 있으면 '을', 받침이 없으면 '를'을 쓴다.

'을' is used when a noun ends with a consonant, and '를' is used when a noun ends with a vowel.

활용 PRACTICE

가 : 오늘 무엇을 해요?
나 : 책을 읽어요.

가 : 안나 씨는 한국 영화를 좋아해요?
나 : 네. 저는 한국 영화를 좋아해요.

에 가다

의미 MEANING

명사 뒤에 붙어서 진행 방향이나 목적지로 이동함을 나타낸다.

'에 가다' attaches to the end of a noun, expressing its direction or movement towards a destination.

형태 FORM

명사의 받침 유무와 상관없이 '에 가다'를 쓴다.

'에 가다' is used regardless of whether a noun ends with a consonant or not.

예문 EXAMPLE

- 주노 씨는 어디**에 가요**?
- 식당**에 가요**.
- 집에 **가요**.
- 세종학당**에 가요**.
- 마트**에 가요**.
- 마리 씨는 백화점**에 가요**.
- 수지 씨는 공원**에 가요**.
- 유진 씨는 식당**에 가요**.
- 재민 씨는 카페**에 가요**.
- 주노 씨는 회사**에 가요**.

활용 PRACTICE

가 : 마리 씨, 어디에 가요?
나 : 영화관에 가요.

가 : 재민 씨, 집에 가요?
나 : 아니요. 백화점에 가요.

하고

의미 MEANING

명사 뒤에 붙여서 그 명사와 뒤에 오는 명사를 연결할 때 사용한다. '하고' 대신에 '와/과'를 사용할 수 있다.

'하고' attaches to the end of a noun, connecting the noun and the following noun. '와' or '과' can be used instead of '하고.'

형태 FORM

명사의 받침 유무와 상관없이 '하고'를 쓴다.

'하고' is used regardless of whether a noun ends with a consonant or not.

예문 EXAMPLE

- 영화관**하고** 카페에 가요.
- 선생님**하고** 수지 씨를 만나요.
- 빵**하고** 우유를 사요.
- 라면**하고** 김밥을 먹어요.
- 유진 씨는 화장품**하고** 가방을 사요.
- 시계**하고** 칠판이 있어요.
- 유진 씨**하고** 안나 씨가 있어요.
- 케이크**와** 빵을 먹어요.
- 우유**와** 차를 마셔요.
- 신발**과** 옷을 사요.

활용 PRACTICE

가 : 뭘 사요?
나 : 가방하고 구두를 사요.

가 : 교실에 누가 있어요?
나 : 선생님하고 안나 씨가 있어요.

단위 명사

의미 MEANING

'개, 명, 마리' 등은 물건, 사람, 동물을 세는 단위를 나타낸다.

'개, 명, 마리' are unit nouns used when counting things, people, or animals.

형태 FORM

대상에 따라 알맞은 단위 명사를 사용한다.

The appropriate counting words should be used depending on the type of a noun.

예문 EXAMPLE

- 책상이 몇 **개** 있어요?
- 책상이 한 **개** 있어요.
- 의자가 다섯 **개** 있어요.
- 시계가 한 **개** 있어요.
- 창문이 두 **개** 있어요.
- 필통이 한 **개** 있어요.
- 여덟 **살**이에요.
- 주스가 네 **잔** 있어요.
- 책이 두 **권** 있어요.
- 고양이가 세 **마리** 있어요.
- 물이 한 **병** 있어요.

활용 PRACTICE

가: 뭘 사요?
나: 빵을 한 개 사요.

가: 학생이 몇 명 있어요?
나: 두 명 있어요.

-(으)세요

의미 MEANING

동사 뒤에 붙어서 명령이나 요청을 나타낸다.

'-(으)세요' is combined with a verb, indicating order or request.

예문 EXAMPLE

* 책을 읽**으세요**.
* 답을 쓰**세요**.
* 질문에 대답하**세요**.
* 다음 대화를 완성하**세요**.
* 알맞은 것을 연결하**세요**.
* 커피 한 잔 주**세요**.
* 내일 일찍 오**세요**.
* 8번 버스를 타**세요**.
* 어서 오**세요**.
* 아이스크림 한 개 주**세요**.

형태 FORM

동사에 받침이 있으면 '-으세요', 받침이 없으면 '-세요'를 쓴다. 'ㄹ' 받침 동사는 'ㄹ'이 탈락하고 '-세요'를 쓴다.

'-으세요' is used when a verb stem ends with a consonant, and '-세요' is used when a verb stem ends with a vowel. When a verb stem ends with 'ㄹ,' the final consonant 'ㄹ' is dropped and then '-세요' is used.

활용 PRACTICE

가 : 안나 씨, 여기 앉으세요.

나 : 네. 고마워요.

가 : 라면 세 개 주세요.

나 : 여기 있어요.

에

의미 MEANING

시간을 나타내는 명사에 붙어서 어떤 행동을 하는 때를 나타낸다.

'에' attaches to a noun, indicating the time when a certain action occurs.

형태 FORM

명사의 받침 유무와 상관없이 '에'를 쓴다. '오늘, 내일, 어제, 언제, 지금, 매일, 요즘' 뒤에는 '에'를 쓰지 않는다. '이에요/예요' 앞에는 '에'를 쓸 수 없다.

'에' is used regardless of whether a noun ends with a consonant or not. '에' doesn't attach to 오늘(today), 내일(tomorrow), 어제(yesterday), 언제(when), 지금(now), 매일(everyday), 요즘(recently). '에' cannot be used in front of '이에요/예요.'

예문 EXAMPLE

- 월요일**에** 뭐 해요?
- 화요일**에** 뭐 해요?
- 수요일**에** 영화를 봐요.
- 목요일**에** 세종학당**에** 가요.
- 금요일**에** 수영을 해요.
- 오늘 점심**에** 친구를 만나요.
- 오늘 오후**에** 아르바이트를 해요.
- 팔월 오일**에** 여행을 가요.
- 시월 십삼일**에** 친구를 만나요.

활용 PRACTICE

가 : 언제 유진 씨를 만나요?

나 : 주말에 만나요.

가 : 수요일에 한국어 수업이 있어요?

나 : 네. 있어요.

○ 시 ○ 분

의미   MEANING

시간을 나타낼 때 사용한다.

'○ 시 ○ 분' is used to express the time.

형태   FORM

'시' 앞에는 고유어 수(한, 두, 세…)를, '분' 앞에는 한자어 수(일, 이, 삼…)를 사용한다.

Native Korean numbers(한, 두, 세…) are used in front of '시,' and Sino-Korean numbers(일, 이, 삼…) are used in front of '분.'

예문   EXAMPLE

- 아침 일곱 **시** 삼십 **분**에 일어나요.
- 여덟 **시** 삼십 **분**에 학교에 가요.
- 아홉 **시** 삼십 **분**에 수업이 있어요.
- 열두 **시** 삼십 **분**에 점심을 먹어요.
- 오후 세 **시**에 친구를 만나요.
- 오후 네 **시**에 요리를 배워요.
- 저녁 여섯 **시**에 친구 생일 파티에 가요.
- 저녁 여덟 **시**에 운동을 해요.

활용   PRACTICE

가 : 지금 몇 시예요?
나 : 일곱 시 삼십 분이에요.

가 : 언제 점심을 먹어요?
나 : 열두 시에 점심을 먹어요.

안

의미 MEANING

동사나 형용사 앞에서 부정이나
반대의 뜻을 나타낸다.

'안' comes before a verb or
an adjective, expressing negation
or opposite meaning.

형태 FORM

동사나 형용사 앞에 사용하며,
'명사'+'하다' 형태의 동사는
'명사'+'안 하다'의 형태로 쓴다.
'있다', '없다'와 결합할 수 없다.

'안' is used in front of a verb or
an adjective. The verb in the form
of a 'noun'+'하다' can be used
in the form of a 'noun'+'안 하다.'
It cannot be combined with
'있다' or '없다.'

예문 EXAMPLE

· 오늘 **안** 바빠요.
· 오늘 영화를 **안** 봐요.
· 오늘 친구를 **안** 만나요.
· 주말에 공원에 **안** 가요.
· 내일 일 **안** 해요.
· 여름을 **안** 좋아해요.
· 바나나를 **안** 좋아해요.
· 딸기를 **안** 사요.
· 날씨가 **안** 좋아요.
· 커피를 **안** 마셔요.

활용 PRACTICE

가 : 서울은 날씨가 좋아요?
나 : 아니요. 안 좋아요. 비가 와요.

가 : 오늘 운동해요?
나 : 아니요. 운동 안 해요.

08

ㅂ 불규칙

의미 MEANING

'ㅂ' 받침이 있는 몇몇 동사나 형용사 뒤에 모음이 오면 'ㅂ'이 '우'로 바뀌는 현상이다. 그러나 모든 'ㅂ' 받침 동사와 형용사가 불규칙활용을 하는 것은 아니다.

When a verb stem or an adjective stem ending with 'ㅂ' is followed by a vowel, 'ㅂ' is changed to '우.' However, not all verbs and adjectives that end in 'ㅂ' are irregular.

형태 FORM

'덥다', '춥다', '맵다', '무겁다', '가볍다', '쉽다', '어렵다' 등의 형용사 뒤에 모음이 오면 'ㅂ'이 '우'로 바뀐다. '우+어요'는 '워요'가 된다. '입다, 잡다, 좁다' 등은 'ㅂ' 받침이 있지만 불규칙 활용을 하지 않는다.

When adjectives such as '덥다(hot),' '춥다(cold),' '맵다(spicy),' '무겁다(heavy),' '가볍다(light),' '쉽다(easy)' and '어렵다(difficult)' are followed by a vowel, 'ㅂ' is changed to '우.' '우' is combined with '-어요' and becomes '워요.' However, '입다, 좁다, 잡다,' which is not a ㅂ irregular verb, does not follow this rule.

예문 EXAMPLE

- 요즘 날씨가 더**워요**.
- 한국은 겨울 날씨가 추**워요**.
- 공부가 쉬**워요**.
- 책이 어려**워요**.
- 요리가 어려**워요**.
- 김치가 매**워요**.
- 가방이 무거**워요**.
- 가방이 가벼**워요**.
- 가을이 아름다**워요**.

활용 PRACTICE

가 : 날씨가 어때요?
나 : 좀 추워요.

가 : 가방이 무거워요?
나 : 아니요. 가벼워요.

에서

의미 MEANING

명사 뒤에 붙어서 동작이 이루어지고 있는 장소를 나타낸다.

'에서' attaches to the end of a noun, indicating where an action occurs.

형태 FORM

명사의 받침 유무에 상관없이 '에서'를 쓴다.

'에서' is used regardless of whether a noun ends with a consonant or not.

예문 EXAMPLE

- 주말에 공원**에서** 뭐 해요?
- 공원**에서** 산책해요.
- 영화관**에서** 영화를 봐요.
- 백화점**에서** 쇼핑을 해요.
- 카페**에서** 친구를 만나요.
- 집**에서** 텔레비전을 봐요.
- 수영장**에서** 수영해요.

활용 PRACTICE

가 : 주노 씨, 지금 뭐 해요?

나 : 집에서 청소해요.

가 : 마리 씨는 지금 어디에 있어요?

나 : 회사에서 일해요.

60

-았 / 었-

의미   MEANING

동사나 형용사에 붙여서 과거의
동작이나 상태를 나타낼 때 사용한다.

'-았/었-' is combined with a verb
or an adjective, describing
an action or a state in the past.

형태   FORM

동사나 형용사의 모음이 'ㅏ, ㅗ'면
'-았-', 그 외 모음이면 '-었-'을 쓴다.
'하다'는 '했'을 쓴다.

'-았-' is used when the final vowel
of a verb stem or an adjective
stem is 'ㅏ' or 'ㅗ,' otherwise '-었-'
is used. '하다' is changed to '했.'

예문   EXAMPLE

- 집에서 영화를 **봤**어요.
- 토요일에 친구를 만**났**어요.
- 식당에서 불고기를 먹**었**어요.
- 도서관에서 책을 읽**었**어요.
- 집에서 쉬**었**어요.
- 아주 재미있**었**어요.
- 우유를 마**셨**어요.
- 날씨가 더**웠**어요.
- 박물관에서 구경**했**어요.
- 친구하고 등산**했**어요.

활용   PRACTICE

가 : 토요일에 뭐 했어요?

나 : 도서관에서 책을 읽었어요.

가 : 어제 날씨가 어땠어요?

나 : 아주 좋았어요.

-고 싶다

의미　MEANING

동사 뒤에 붙어서 원하거나 바라는 일을 나타낸다. 주어가 다른 사람일 때는 '-고 싶어 하다'를 사용한다.

'-고 싶다' is combined with a verb, indicating what a speaker wants. '-고 싶어 하다' is used when the subject of a sentence is a 3rd person.

형태　FORM

동사의 받침 유무에 상관없이 '-고 싶다'를 쓴다. 주어가 다른 사람일 때는 '-고 싶어 하다'를 쓴다.

'-고 싶다' is used regardless of whether a verb ends with a consonant or not.

예문　EXAMPLE

- 저녁에 뭘 먹고 **싶어요?**
- 한국에 가고 **싶어요.**
- 사진을 찍고 **싶어요.**
- 친구를 만나고 **싶어요.**
- 커피를 마시고 **싶어요.**
- 안나 씨는 어디에 가고 **싶어 해요?**
- 동생은 집에서 놀고 **싶어 해요.**
- 재민 씨는 낚시를 하고 **싶어 해요.**
- 수지 씨는 운동화를 사고 **싶어 해요.**
- 유진 씨는 공원에서 걷고 **싶어 해요.**

활용　PRACTICE

가 : 저녁에 뭘 먹고 싶어요?
나 : 한국 음식을 먹고 싶어요.

가 : 안나 씨는 어디에 가고 싶어 해요?
나 : 안나 씨는 제주도에 가고 싶어 해요.

-(으)ㄹ까요?

의미 MEANING

동사 뒤에 붙여서 어떤 행동에 대해 상대방의 의견을 물을 때 사용한다.

'-(으)ㄹ까요?' is combined with a verb, asking the listener's opinion about a particular action.

형태 FORM

동사에 받침이 있으면 '-을까요?', 받침이 없으면 '-ㄹ까요?'를 쓴다. 'ㄹ' 받침 동사는 '-까요?'로 쓴다.

'-을까요?' is used when a verb ends with a consonant, and '-ㄹ까요?' is used when a verb ends with a vowel. '-까요?' is used with a verb that ends with 'ㄹ.'

예문 EXAMPLE

· 여기에 앉**을까요**?

· 같이 저녁을 먹**을까요**?

· 여기에서 사진을 찍**을까요**?

· 오후에 노래방에 **갈까요**?

· 내일 같이 영화를 **볼까요**?

· 놀이공원 앞에서 만**날까요**?

· 도서관에서 같이 공부**할까요**?

· 주말에 같이 자전거를 **탈까요**?

· 같이 음악을 들**을까요**?

· 내일 같이 **놀까요**?

활용 PRACTICE

가 : 여기에서 사진을 찍을까요?

나 : 네. 그래요.

가 : 주말에 같이 자전거를 탈까요?

나 : 네. 좋아요.

부록

/ 색인 1 (가나다순)
Index (in Korean alphabetical order)

/ 색인 2 (ABC순)
Index (in English alphabetical order)

색인 1

Index
(in Korean alphabetical order)

1A

1부. 어휘와 표현

2부. 문법

색인 2

Index
(in English alphabetical order)

1A

※ 이 교재는 산돌폰트 외 Ryu 고운 한글돋움OTF, Ryu 고운한글바탕OTF 등을 사용하여 제작되었습니다. Ryu 고운한글돋움OTF, Ryu 고운한글바탕 OTF 서체는 서체 디자이너 류양희 님 에게서 제공 받았습니다.

메모

메모

세종한국어 | 어휘·표현과 문법 1A

기획	국립국어원	박미영 학예연구사
	국립국어원	조 은 학예연구사
집필	책임 집필	이정희 경희대학교 국제교육원 교수
	공동 집필	장미정 고려대학교 교양교육원 조교수
		김은애 서울대학교 언어교육원 대우교수
		천민지 한양대학교 국제교육원 교육전담교수
		김지혜 경희대학교 국제교육원 한국어 강사
		윤세윤 경희대학교 국제교육원 객원교수
	집필 보조	문진숙 경희대학교 국어국문학과 박사수료
		한재민 경희대학교 국어국문학과 박사수료
		정성호 경희대학교 국어국문학과 박사수료
		서유리 경희대학교 국어국문학과 박사과정
	번역 감수	변우영 오하이오주립대학교 동아시아어문학과 부교수

발행	국립국어원
	주소: (07511) 서울특별시 강서구 금낭화로 154
	전화: +82(0)2-2669-9775 전송: +82(0)2-2669-9727
	누리집: www.korean.go.kr
	초판 1쇄 발행 2022년 9월 1일
	초판 2쇄 발행 2024년 2월 29일

편집·제작	공앤박 주식회사
	주소: (05116) 서울특별시 광진구 광나루로56길 85, 프라임센터 3411호
	전화: +82(0)2-565-1531 전송: +82(0)2-6499-1801
	누리집: www.kongnpark.com / www.BooksOnKorea.com (구매)
	총괄	공경용
	편집	이유진, 김세훈, 이진덕, 여인영, 김령희, 성수정, 최은정, 함소연
	영문 편집	Sung A. Jung, Paulina Zolta, Kassandra Lefrancois-Brossard
	디자인	오진경, 서은아, 이종우, 이승희
	삽화	강승희, 곽명주, 박가을, 이재영, 정원교
	관리·제작	공일석, 최진호
	IT 자료	손대철
	마케팅	윤성호

ISBN 978-89-97134-38-0 (14710)
ISBN 978-89-97134-21-2 (세트)